lezen is leuk

ik wil meer lezen!

Anne Blokker
Met tekeningen van Alex de Wolf

KLUITMAN

LEES_N!VEAU

		ME	ME	ME	ME	ME	
AVI	S	3	4	5	6	7	P
CLIB	S	3	4	5	6	7	8	P

Leren lezen

Toegekend door Cito i.s.m. KPC Groep

Nur 287/GRA022006
Bisac JUV043000
© Uitgeverij Kluitman Alkmaar B.V.
© Tekst: Uitgeverij Kluitman Alkmaar B.V.
© Illustraties: Alex de Wolf
Omslagontwerp: Astrid van der Neut
Opmaak binnenwerk: Astrid van der Neut/Marieke Brakkee

kluitman.nl

de bus

daar komt de bus.

in de bus zit tom.

tom is mijn neef.

hij woont in sneek.

hij heeft een week vrij.

en ik ook.

'dag tom!

leuk dat je er bent.

we gaan heel veel doen!'

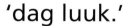

'dag luuk.'

5

tom: waar slaap ik?

luuk: in de tuin!

tom: echt waar?

luuk: ja, in een tent.

        en ik ook.

        is dat niet gaaf?

tom: ja, heel erg gaaf.

        maar waar is de tent?

mam: kijk, dit is de tent.

        zet hem maar op.

luuk: kijk, ik leg de tent neer.

  nou moet de stok er door.

tom: waar door?

luuk: nou, door dat gat, denk ik.

tom: de stok zit er door.

luuk: maak de stok maar bol.

tom: is de tent nu klaar?

luuk: nou, eh...

wat hoor ik nou?

het is stil in de klas.
ik maak een som.
ppprrrttt!
wat was dat?
dat leek wel een scheet!
wie was dat?
ik kijk om me heen.
bas kijkt ook op.
en loes ook.
dan kijk ik naar juf.
zij heeft een kleur.
oh, het was juf!
de juf liet een scheet!

8

hier hou ik van!

mijn naam is tim.
ik ren en ik klim.
ik rol op de mat.
en val op mijn gat.
en op de brug
ben ik heel vlug.
mijn naam is tim.
en ik ben gek op …

boef is gek op ijs

ik zit in de tuin.
het is warm in de zon.
mam zegt: 'wil je ijs?'
echt wel!
we gaan naar het park.
boef mag ook mee.
daar is de kar met het ijs.
ik kies een bol geel ijs.
en een bol groen ijs.
mmm!
boef wil ook ijs.
maar dat mag niet.
boef kijkt heel sip.

boef heeft een plan.

hij loopt naar een klein kind.

dan zegt hij: 'woef! woef!'

het kind gilt.

zijn ijs valt in het gras.

boef eet het snel op.

dat is heel stout, boef!

het kind huilt.

mam koopt vlug ijs voor hem.

en boef?

het is net of hij lacht...

11

de heks

ik ben een heks.
kijk maar naar mijn muts.
en naar de wrat op mijn neus.
ik maak soep voor jou.
in een pot op het vuur.
er gaat een spin in.
en slijm van een slak.
ik roer en ik roer.
tot het kookt.

de soep is klaar.

neem maar een slok.

mmm!

en weet je wat?

ik zeg: 'knip knap knuis.'

en nou ben jij een …

de kaart

tom zoekt een kaart.

een kaart voor naar huis.

neemt hij een koe?

of een roos?

'kijk daar, tom,' zegt luuk.

'een kaart van een aap.

die doet heel gek.'

tom lacht.

ja, die is leuk!

op de post

hoi pap en mam,

het is leuk bij luuk.　　pap en mam de boer

ik slaap in een tent.　　mient 61

en we gaan naar de film.　8600 AB sneek

dag!

tom

de kaart is af.

luuk weet waar de bus staat.

tom doet de kaart in de gleuf.

die gaat nu naar sneek.

15

eng

ik lig in mijn bed.

ik slaap al haast.

maar wat zie ik daar?

het loopt op de muur.

heel erg snel.

'mam, kom vlug.

haal die spin weg!'

mam komt er aan.

'die spin is klein.

en jij bent groot.

dat is toch niet eng!'

heel eng

ik help mam in de tuin.
ik graaf in de grond.
wat is dat?
het is rond en glad.
het is een worm!
ik pak de worm op.
'kijk eens mam, wat ik heb.'
mam gilt heel hard.
'bah, een worm!'
'ha ha, mam.
die worm is klein.
en jij bent groot.
dan ben je toch niet bang!'

de boom

in de tuin staat een boom.

hij is erg groot.

er komt geen zon in de tuin.

en dus moet de boom weg.

maar ik ben boos.

de boom mag niet weg.

in de boom woont een mees.

en een duif.

en nog veel meer.

de boom is hun huis.

dat zaag je toch niet om?

pap zegt: 'die boom moet weg.

maar ik heb een plan.

dat zie je nog wel.'

pap gaat aan de slag.

hij zaagt een tak af.

en nog een tak.

ik help ook.

ik zaag en ik knip,

tot de boom kaal is.

dan zaagt pap de stam om.

'dat is klaar,' zegt pap blij.

'nee,' zeg ik.

'jij wist nog een plan.

voor de mees en de duif.

en voor de rest.'

'dat is waar,' zegt pap.

'kom jij maar mee.

dan koop ik een huis voor hen.'

de tuin is klaar.

het is fijn in de zon.

kijk, daar gaat de mees.

hij heeft nu een huis.

de duif heeft een til.

en de rest?

nou ja, kijk maar!

naar de film

tom en luuk gaan naar de film.

de film is erg stoer.

met een boef die heel eng is.

maar dat is juist leuk, zegt luuk.

en tom knikt.

de film duurt lang.

het is al laat als hij af is.

dan gaan tom en luuk naar huis.

tom en luuk zijn in de tent.

het is nacht.

tom hoort iets raars naast de tent.

zou dat een boef zijn?

'luuk, hoor je dat?' zegt tom.

'wat is dat?'

'ik weet het niet,' zegt luuk.

'ik ben bang.'

tom doet zijn lamp aan.

zijn buik voelt raar.

'kom luuk, ik wil zien wat dat is.'

tom doet de rits los.

en dan ziet hij een ...

mees is een held

mees loopt door het bos.

met pap en mam.

en zijn zus lot.

het is warm.

ze gaan heel ver.

dan zegt mam: 'waar zijn we?

ik weet hier de weg niet.'

pap kijkt.

'ik ook niet.'

lot zeurt.

'ik ben moe.

ik wil naar huis!'

dan ziet mees een boom.

die is heel hoog.

'ik klim in die boom,' zegt hij.

'wie weet, zie ik wat.'

en ja, daar is de kerk.

'ik weet het,' roept mees.

'die kant op!'

rik leest een boek

rik zit op de bank.
hij leest een boek.
het is heel gaaf.
maar wat is dat?
in dat huis daar?
daar is vuur!
rik ziet het niet.
hij leest en hij leest.

wat komt daar aan?

tet tuut tet tuut!

maar rik hoort het niet.

een man rolt de slang uit.

hij spuit op het vuur.

rik ziet niets.

dan is zijn boek uit.

rik legt het boek weg en hij gaapt.

hij zegt: 'wat een eng boek was dat.

zo gaat het nou nooit in het echt!'

friet!

tom moet weer naar huis.

hij gaat met de bus.

de pap van luuk zegt:

'ben je klaar, tom?'

'ja,' zegt tom.

'kijk, dit is mijn tas.'

'maar pap,' zegt luuk.

'mijn buik knort.

hij is leeg.'

'daar weet ik wel wat op,' zegt pap.

'kom maar mee.

dan koop ik wat friet voor ons.'

28

'ik wil graag drie friet,' zegt pap.

'een friet voor tom

en een friet voor luuk.

en ook een friet voor mij.'

maar de mus dan?

tom geeft de mus ook friet.

dan komt de bus.

tom pakt vlug zijn tas.

'nou, dag luuk.

het was heel tof.

tot ziens!'

luuk zwaait.

dan is de bus weg.

Lees ze allemaal!